andrea bocelli

r o m a n z a

INS. 425
Disco SUGAR Distribuzione MCA UNIVERSAL MUSIC S.p.A.
Compact Disc SGR D 77801
Musicassetta SGR C 77801
INSIEME s.r.l. - Milano

Personal Manager
Michele Torpedine s.r.l. (Italy)

Co-Management Partner
D'Alessandro & Galli (Italy)

International Representation and Management
Marshall Arts Ltd.
Tel. 44 (0)171 5863831 - Fax 44 (0)171 5861422

Photography by Sarah Wong, Amsterdam
Wardrobe by Giorgio Armani

9ª RISTAMPA

il catalogo spartiti
on line
www.carisch.com

CARUSO

Testo e Musica di Lucio Dalla

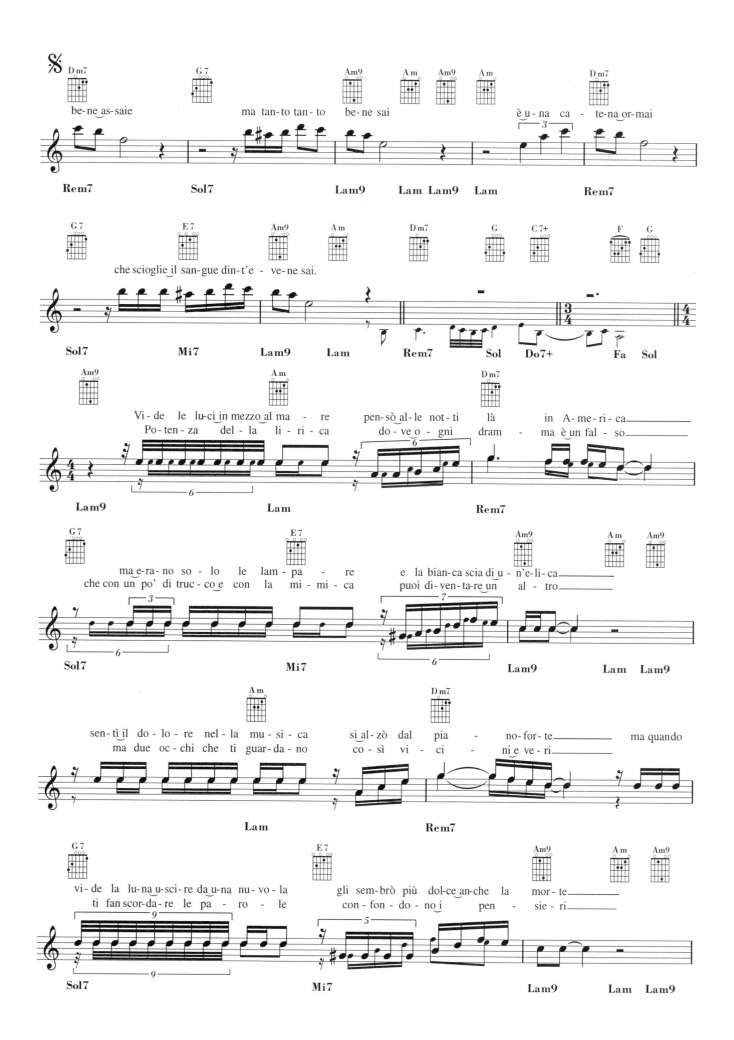

%

Dm7 **G7** **Am9** **Am** **Am9** **Am** **Dm7**

be-ne as-saie ma tan-to tan-to be-ne sai è u - na ca - te-na or-mai

Rem7 **Sol7** **Lam9** **Lam Lam9** **Lam** **Rem7**

G7 **E7** **Am9** **Am** **Dm7** **G** **C7+** **F G**

che scioglie il san-gue din-t'e - ve-ne sai.

Sol7 **Mi7** **Lam9** **Lam** **Rem7** **Sol** **Do7+** **Fa Sol**

Am9 **Am** **Dm7**

Vi - de le lu-ci in mezzo al ma - re pen-sò al-le not-ti là in A-me-ri-ca_____
Po-ten-za del-la li-ri-ca do-ve o-gni dram - ma è un fal-so_____

Lam9 **Lam** **Rem7**

G7 **E7** **Am9** **Am** **Am9**

ma e-ra-no so-lo le lam-pa - re e la bian-ca scia di u - n'e-li-ca_____
che con un po' di truc-co e con la mi-mi-ca puoi di-ven-ta-re un al-tro_____

Sol7 **Mi7** **Lam9** **Lam Lam9**

Am **Dm7**

sen-tì il do-lo-re nel-la mu-si-ca si al-zò dal pia - no-for-te_____ ma quando
ma due oc-chi che ti guar-da-no co - sì vi-ci - ni e ve-ri_____

Lam **Rem7**

G7 **E7** **Am9** **Am** **Am9**

vi - de la lu-na u-sci-re da u-na nu-vo-la gli sem-brò più dol-ce an-che la mor-te_____
ti fan scor-da-re le pa - ro-le con-fon-do-no i pen - sie-ri_____

Sol7 **Mi7** **Lam9** **Lam Lam9**

3

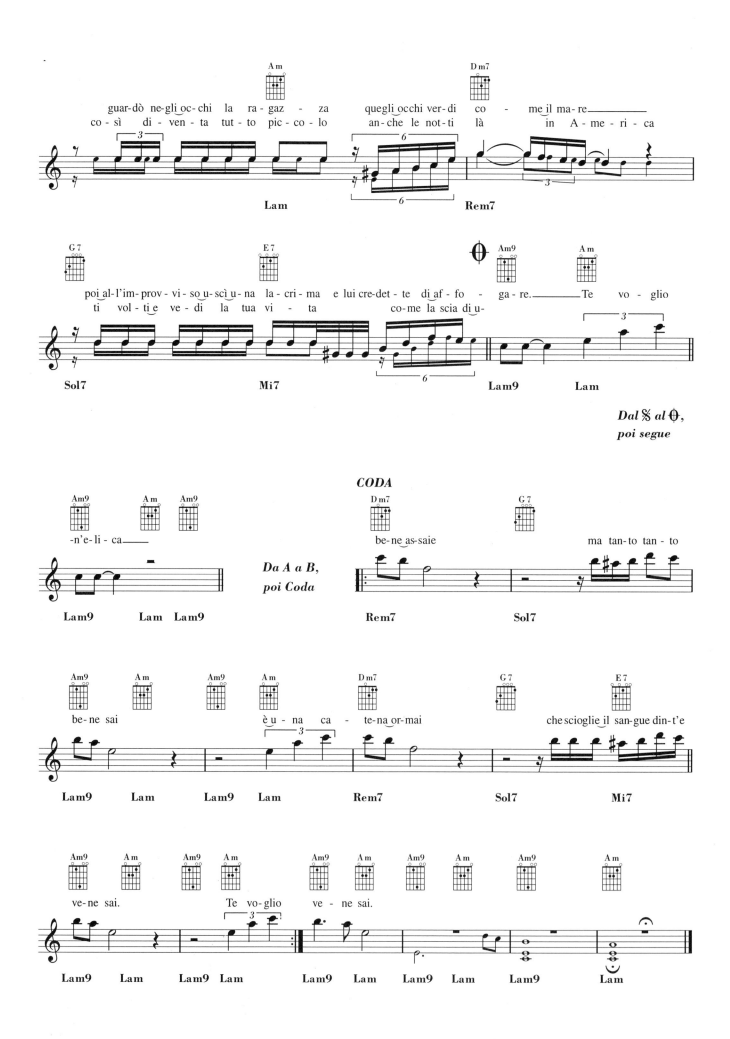

PER AMORE

Testo e Musica di M.Nava

hai mai fat - to nien - te so - lo per a - mo - re
hai mai spe - so tut - to quan - to la ra - gio - ne

Do   Re11   Sol   Sim   Do   Re11

hai sfi - da - to il ven - to e ur - la - to mai
il tuo or - go - glio fi - no al pian - to

di - vi - so il cuo - re stes - so   pa - ga - to e ri - scom - mes - so

Do   Sol   Lam7   Mim

die - tro que - sta ma - nia   che re - sta so - lo   mia.

Mi7   Lam Lam/Sol   Fa#7   Si4   Si

Per a - mo - re   hai mai cor - so sen - za fia - to   per a - mo - re

Sib   Rem   Mib   Fa11   Sib   Rem

per - so e ri - co - min - cia - to   e de - vi dir - lo a - des - so

Mib   Fa6   Fa   Solb   Reb

quan - to di te ci hai mes - so   quan - to hai cre - du - to tu in que - sta bu - gi - a.

Dob   Sib   Dom5m   Fa5m   Fa7   Sib7+   Mib7+

Lam7   Rem   Sib7+   Mib7+   Lam7   Rem

Dal % al ⊕, poi segue

6

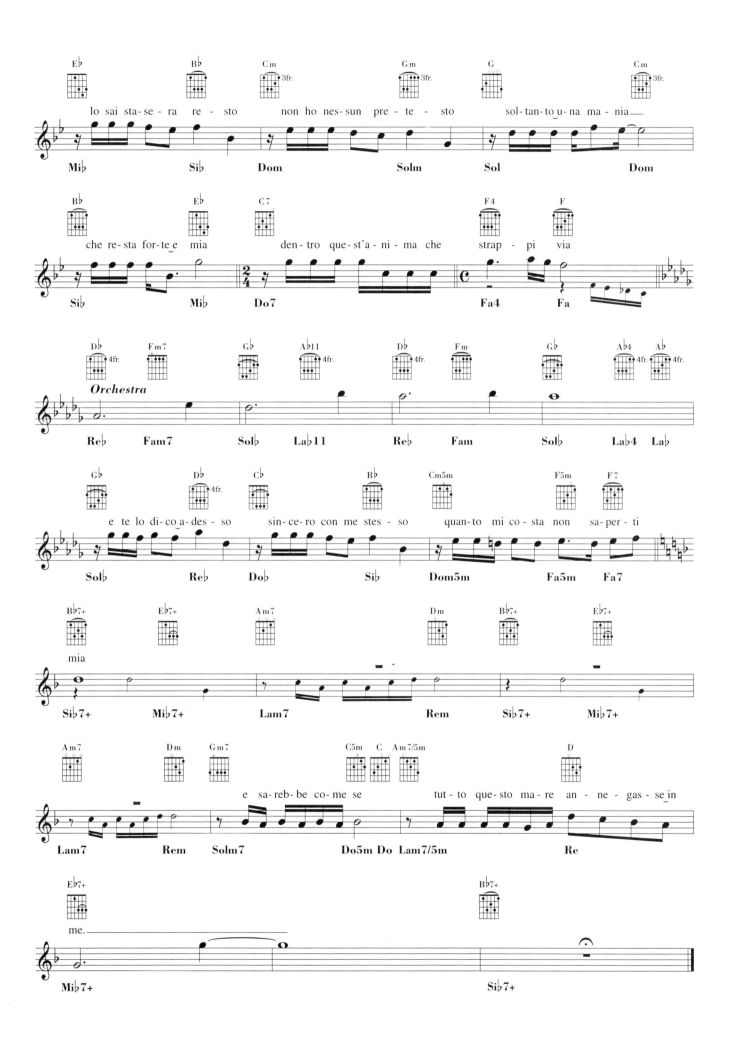

Andrea Bocelli & Sarah Brightman

CON TE PARTIRO' / TIME TO SAY GOODBYE

Testo di Lucio Quarantotto - Musica di Francesco Sartori

E CHIOVE

Testo di Sergio Cirillo - Musica di Sergio Cirillo, Joe Amoruso

Com-m'è stret-ta 'sta
via
à 'ggen-te nun ce ca-pe se fa 'na pru-ces-sio-ne ca cam-mi-na chia-nu
via pec-chè nun spon-ta ma-i se per-de dint' 'e 'ppre-te 'miez-zo 'e car-te ar-ra-vu-

chia-nu. Nun è muor-to ni-sciu-no nun è 'o san-to e ni-sciu-no nun se sen-te 'na
glia-te sot-to 'a l'e-ve-ra 'e mu-ro ca s'ar-ram-pe-ca e 'ggiu-ra 'e jas-tem-me de'

vo-ce e nun so-na 'na cam-pa-na. E in-tan-to 'o co-re a-spet-ta ca s'a-ra-pe-ne 'e fun-
juor-ne 'e se-ra-te sen-za pa-ne. E in-tan-to 'o co-re a-spet-ta ca s'a-ra-pe-ne 'e fun-

ta - ne. E chio - ve,____ n' ca-po 'e cria-tu - re____ vu -
ta - ne.

les-se ar-ra-vu-glià 'sta lu-na cu 'na fu - na pe m'a pur-tà lun-ta - no pe m'a pur-tà lun-

Andrea Bocelli & John Miles
FUNICULI' - FUNICULA'

Testo di P.Turco - Musica di L.Denza

IL MARE CALMO DELLA SERA

Testo di Malise, Gloria Nuti - Musica di Malise, Gianpietro Felisatti

LA LUNA CHE NON C'È

Testo di Antonella Maggio - Musica di Dario Farina

17

LE TUE PAROLE

Testo di Sergio Cirillo - Musica di Sergio Cirillo, Joe Amoruso

Caruso

Qui dove il mare luccica e tira forte il vento
Su una vecchia terrazza davanti al golfo di Surriento
Un uomo abbraccia una ragazza dopo che aveva pianto
Poi si schiarisce la voce e ricomincia il canto.

Te voglio bene assaie
Ma tanto tanto bene sai
È una catena ormai
Che scioglie il sangue dint'e vene sai.

Vide le luci in mezzo al mare pensò alle notti là in America
Ma erano solo le lampare e la bianca scia di un'elica
Sentì il dolore nella musica si alzò dal pianoforte
Ma quando vide la luna uscire da una nuvola
Gli sembrò più dolce anche la morte
Guardò negli occhi la ragazza quegli occhi verdi come il mare
Poi all'improvviso uscì una lacrima e lui credette di affogare.

Te voglio bene assaie
Ma tanto tanto bene sai
È una catena ormai
Che scioglie il sangue dint'e vene sai.

Potenza della lirica dove ogni dramma è un falso
Che con un po' di trucco e con la mimica puoi diventare un altro
Ma due occhi che ti guardano così vicini e veri
Ti fan scordare le parole confondono i pensieri
Così diventa tutto piccolo anche le notti là in America
Ti volti e vedi la tua vita come la scia di un'elica
Ma sì è la vita che finisce ma lui non ci pensò poi tanto
Anzi si sentiva già felice e ricominciò il suo canto.

Te voglio bene assaie
Ma tanto tanto bene sai
È una catena ormai
Che scioglie il sangue dint'e vene sai.

Il mare calmo della sera

Non so,
Cosa sia la fedeltà
La ragione del mio canto
Che resistere non può
Ad un così dolce pianto
Che mutò l'amore mio

E se
Anche il sorgere del sole
Ci trovasse ancora insieme
Per favore dimmi no
Rende stupidi anche i saggi
L'amore, amore mio

Se dentro l'anima
Tu fossi musica
Se il sole fosse dentro te
Se fossi veramente
Dentro l'anima mia
Allora sì che udir potrei
Nel mio silenzio
Il mare calmo della sera

Però
Quell'immagine di te
Così persa nei miei occhi
Mi portò la verità
Ama quello che non ha
L'amore, amore mio

Se dentro l'anima
Tu fossi musica
Se il sole fosse dentro te
Se fossi veramente
Dentro l'anima mia
Allora sì che udir potrei
Il mare calmo della sera
Nel mio silenzio
Il mare calmo della sera

Con te partiro' / *time to say goodbye*

Quando sono solo
Sogno all'orizzonte
E mancan le parole
Sì lo so che non c'è luce
In una stanza quando manca il sole
Se non ci sei tu con me, con me
Su le finestre
Mostra a tutti il mio cuore
Che hai acceso
Chiudi dentro me
La luce che
Hai incontrato per strada

Con te partirò / time to say goodbye
Paesi che non ho mai
Veduto e vissuto con te
Adesso sì li vivrò
Con te partirò
Su navi per mari
Che io lo so
No no non esistono più
Con te io li vivrò / it's time to say goodbye

Quando sei lontana
Sogno all'orizzonte
E mancan le parole
E io sì lo so
Che sei con me con me
Tu mia luna tu sei qui con me
Mio sole tu sei qui con me
Con me con me con me

Con te partirò /
time to say goodbye

Paesi che non ho mai
Veduto e vissuto con te
Adesso sì li vivrò
Con te partirò
Su navi per mari
Che io lo so
No no non esistono più
Con te io li rivivrò
Con te partirò
Su navi per mari
Che io lo so
No no non esistono più
Con te io li rivivrò
Con te partirò
Io con te.

E chiove

Comm'è stretta 'sta via
À 'ggente nun ce cape
Se fa 'na prucessione
Ca cammina chianu chianu.
Nun è muorto nisciuno
Nun è 'o santo e nisciuno
Nun se sente 'na voce
E nun sona 'na campana.
E intanto 'o core aspetta
Ca s'arapene 'e funtane
E chiove, n'capo 'e criature
Vulesse arravuglià 'sta luna cu'na funa
Pe m'a purtà luntano
Pe m'a purtà luntano
Addò 'o cielo che è cielo nun se fa
mai scuro
E chiove, n'terra e nisciuno
Vulesse cummannà pe spremmere 'e
dulure
Dinto a 'stu ciummo amaro
Ca nun canosce 'o mare
Pecché 'o mare è luntano eppure sta
vicino

Comm'è 'llonga 'sta via
Pecchè nun sponta mai
Se perde dint' 'e 'pprete
'mmiezo 'e carte arravugliate
Sotto 'a l'evera 'e muro
Ca s'arrampeca e 'ggiura
'e jastemme de' juorne
'e serate senza pane
E intanto 'o core aspetta
Ca s'arapene 'e funtane.
E chiove, n'capo 'e criature
Vulesse arravuglià 'sta luna cu 'na funa
Pe m'a purtà luntano
Pe m'a purtà luntano
Addò 'o cielo che è cielo non se fa mai scuro
E chiove, n'terra e nisciuno
Vulesse cummannà pe spremmere 'e dulure
Dinto a 'stu ciummo amaro
Ca nun canosce 'o mare
Pecché 'o mare è luntano eppure sta vicino.
Dinto a stù ciummo amaro,
Ca nun canosce 'o mare
Pecché 'o mare è luntano
Eppure sta vicino.

Funiculi' - funicula'

Aissera, nanninè, me ne sagliette
Tu saje addò?   *Coro: tu saie addò?*
Addò sto core 'ngrato chiù dispiette
Farne non pò.   *Coro: farne non pò.*
Addo llo fuoco coce, ma si fuje
Te lassa stà   *Coro: te lassa stà.*
E non te corre appriesso, non te struje
Sulo a guardà   *Coro: sulo a guardà...*

  Jammo, jammo
  'ncoppa, jammo jà
  Jammo, jammo
  'ncoppa, jammo jà
  Funiculì funiculà
  Funiculì funiculà
  'ncoppa, jammo jà,
  Funiculì funiculà.

Nè...jammo da la terra a la montagna
No passo nc'è   *Coro: no passo nc'è.*
Se vede Francia, Proceta, la Spagna
E io veco te.   *Coro: e io veco te.*
Tirate con li fune nnito, 'nfatto
Ncielo se va.   *Coro: ncielo se va.*
Se va comm'a llo viento, a l'antrasatto.
Guè saglie, sà.   *Coro: guè saglie, sà*
  Jammo, jammo
  'ncoppa, jammo jà
  Jammo, jammo
  'ncoppa, jammo jà
  Funiculì funiculà
  Funiculì funiculà
  'ncoppa, jammo jà,
  Funiculì funiculà.

Se n'è sagliuta, oie nè, se nè sagliuta
La capa già.   *Coro: la capa già.*
È ghiuta, pò è tornata e pò è venuta
Sta sempre ccà   *Coro: sta sempre ccà!*
La capa vota vota attuorno attuorno
Attuorno a te.   *Coro: attuorno a te.*
Lio core canta sempre no taluorno
Sposammo, oie ne!   *Coro: sposammo oie ne!*

  Jammo, jammo
  'ncoppa, jammo jà
  Jammo, jammo
  'ncoppa, jammo jà
  Funiculì funiculà
  Funiculì funiculà
  'ncoppa, jammo jà,
  Funiculì funiculà.

La luna che non c'è

Conosco te la nostalgia
Che ti sorprende all'improvviso
Rallenta un po' la corsa che
Ti ha tolto il fiato e ti ha deluso

Se il mondo intorno a noi
Non ci assomiglia mai
Dividilo con me
Io lo prenderò e lo scaglierò lontano

E chiara nella sera
Tu sarai la luna che non c'è
Nell'aria più leggera
La tua mano calda su di me
E forse non immagini nemmeno
Quant'è grande questo cielo
Quanto spazio c'è qui dentro me
E ci sarà adesso che
Sei qui anche tu

Ritroverai la tua magia
Piccola stella innamorata
Per quanta notte ancora c'è
In questa notte appena nata

Il buio porterà
Con sé i fantasmi suoi
E se non dormirai
Io ti ascolterò e ti stringerò più forte

E chiara nella sera
Tu sarai la luna che non c'è
Con quanta tenerezza
Ti allontani e ti confondi in me

E forse non immagini nemmeno
Quant'è grande questo cielo
Quanto spazio c'è qui dentro me
E ci sarà adesso che
Mi vuoi così anche tu

No, tu non immagini nemmeno
Quant'è grande questo cielo

Quanto spazio c'è qui dentro me
Adesso che mi vuoi così
Anche tu

Le tue parole

Dove va a morire il sole
Dove il vento si riposa
Ci son tutte le parole
Di chi è stato innamorato
E non ha dimenticato
Tutto quello che c'è stato.
Ed aspetterò il tramonto
Deve pur passare il vento
Io mi lascerò portare
Dove nascono le parole
Cercherò le tue parole
Te le voglio riportare.
Non è giusto che una donna
Per paura di sbagliare
Non si possa innamorare,
E si deve accontentare
Di una storia sempre uguale
Di una vita da sognare.
Dove va a morire il sole
Dove il vento si riposa
Ho incontrato tanta gente
Che in un mare di parole
E tra tanta confusione
Spera ancora in un amore.
Non è giusto che una donna
Per paura di sbagliare
Non si possa innamorare
E si deve accontentare
Di una storia sempre uguale
Di una vita da scordare
E si deve accontentare
Di una storia sempre uguale
Di una vita da scordare.

Macchine da guerra

Se fosse una cosa semplice
Io te la direi
Ma c'è una confusione dentro
E qui attorno a me
Tu preferisci evitare
E forse la colpa non è tua
Potrei tentare un'altra volta
Ma non sono io che devi sentire
A piedi nudi camminiamo
Sui vetri rotti e poi
Con mani sporche ci tocchiamo
Ci feriamo fra di noi
Tutti i segnali sono guasti
Pallidi spenti nel buio
Potrei tentare un'altra volta
Ma non sono io che devi sentire

Ascolta il tuo cuore se batte
Guarda dove corri e fermati,
Ascolta il dolore del mondo
Siamo persi per la via
Orfani di vita
Macchine da guerra
Ma perchè?

Non c'è più tempo per guardare
Una stella sopra noi
È tutto prepagato, stampato
E accreditato a noi,
Ma come fai a non accorgerti,
Fregartene, andare via
Con passi falsi di felicità
Ma il sangue è anche tuo

Ascolta il tuo cuore se batte
Guarda dove corri e fermati
Ascolta il dolore del mondo
Siamo persi per la via
Orfani di vita
Macchine da guerra,
Ma perché?

Miserere

Miserere, misero me
Però, brindo alla vita!

Ma che mistero è la mia vita
Che mistero
Sono un peccatore dell'anno ottantamila,
Un menzognero

Ma dove sono
E cosa faccio
Come vivo,
Vivo nell'anima del mondo
Perso nel vivere profondo!

Miserere, misero me,
Però, brindo alla vita!

Io sono il santo
Che ti ha tradito quando eri solo
Io vivo altrove
E osservo il mondo dal cielo,

E vedo il mare,
Le foreste
E vedo me che
Vivo nell'anima del mondo
Perso nel vivere profondo!

Miserere, misero me,
Però, brindo alla vita!

Se c'è una notte
Buia abbastanza
Da nascondermi, nascondermi...
Se c'è una luce,
Una speranza,
Sole magnifico che splendi dentro me...
Dammi la gioia di vivere
Che ancora non c'è...

Miserere, miserere..., e...

Quella gioia di vivere
Ancora non c'è!

Per amore

Io conosco la tua strada
Ogni passo che farai
Le tue ansie chiuse e i vuoti
Sassi che allontanerai
Senza mai pensare che
Come roccia io ritorno in te ...
Io conosco i tuoi respiri
Tutto quello che non vuoi
Lo sai bene che non vivi
Riconoscerlo non puoi
E sarebbe come se
Questo cielo in fiamme
Ricadesse in me
Come scena su un attore ...

Per amore
Hai mai fatto niente
Solo per amore
Hai sfidato il vento e urlato mai
Diviso il cuore stesso
Pagato e riscommesso
Dietro questa mania
Che resta solo mia
Per amore
Hai mai corso senza fiato
Per amore
Perso e ricominciato
E devi dirlo adesso
Quanto di te ci hai messo
Quanto hai creduto tu
In questa bugia
E sarebbe come se
Questo fiume in piena
Risalisse a me
Come china al suo pittore

Per amore
Hai mai speso tutto quanto
La ragione
Il tuo orgoglio fino al pianto
Lo sai stasera resto
Non ho nessun pretesto
Soltanto una mania
Che è ancora forte e mia
Dentro quest'anima che strappi via
E te lo dico adesso
Sincero con me stesso
Quanto mi costa non saperti mia
E sarebbe come se
Tutto questo mare
Annegasse in me.

Romanza

Gia' la sento
Già la sento morire
Però è calma sembra voglia dormire
Poi con gli occhi
Lei mi viene a cercare
Poi si toglie
Anche l'ultimo velo
Anche l'ultimo cielo
Anche l'ultimo bacio
Ah forse colpa mia
Ah forse colpa tua
E così son rimasto a pensare
Ma la vita
Ma la vita cos'è
Tutto o niente
Forse neanche un perché
Con le mani
Lei mi viene a cercare
Poi mi stringe
Lentamente mi lascia
Lentamente mi stringe
Lentamente mi cerca
Ah forse colpa mia
Ah forse colpa tua
E così sono rimasto a guardare
E lo chiamano amore
E lo chiamano amore
E lo chiamano amore
Una spina nel cuore
Che non fa dolore
È un deserto
Questa gente
Con la sabbia
In fondo al cuore
E tu
Che non mi vedi più
Che non mi senti più
Avessi almeno il coraggio
E la forza di dirti
Che sono con te
(ave ave ave ave maria)
Ah forse colpa mia
Ah forse colpa mia
E così son rimasto così
Son rimasto così
Già la sento
Che non può più sentire
In silenzio
Se n'è andata a dormire
È già andata a dormire.

Rapsodia

Io, vorrei
Liberarti domattina
E vorrei
Vederti volare
Sui nevai, come prima

Tu, così lontana
Seppure ormai
Così vicina

E l'anima se ne va
Verso l'eternità
Rapsodia

Io, vorrei
Liberarti il cuore
E vorrei
Restare indietro
E fare finta di cadere

Perché così sei più vicina
A illuminar
La vita mia
E l'anima se ne va
Verso l'eternità

L'anima, se ne va

Perché così sei più vicina
A illuminar
La vita mia
E l'anima se ne va
Verso l'eternità

E l'anima se ne va
Verso l'eternità

Vivere

Vivo ricopiando yesterday
E sono sempre in mezzo ai guai
Vivo e ti domando cosa sei
Ma specchio tu non parli mai

Io che non potrò mai creare niente
Io amo l'amore ma non la gente
Io che non sarò mai un dio

Vivere nessuno mai ce l'ha insegnato
Vivere fotocopiandoci il passato
Vivere anche se non l'ho chiesto io di vivere
Come una canzone che nessuno canterà

Ma se tu vedessi l'uomo
Davanti al tuo portone
Che dorme avvolto in un cartone
Se tu ascoltassi il mondo
Una mattina
Senza il rumore della pioggia

Tu che puoi creare con la tua voce
Tu pensi i pensieri della gente
Poi di dio c'è solo dio

Vivere nessuno mai ce l'ha insegnato
Vivere non si può vivere senza passato
Vivere è bello anche se non l'hai chiesto mai
Una canzone ci sarà
Sempre qualcuno che la canterà

Qualcuno non mi basta perché, perché, perché, perché
Vivere cercando ancora il grande amore non vivi questa sera
Vivere come se mai dovessimo morire perché, perché, perché, perché
Vivere per poi capire all'improvviso non vivi ora
Che in fondo questa vita tu non l'hai vissuta perché, perché, perché
La vita non è vita perché
Non l'hai vissuta
Vivere vivere
Cercando ancora il grande amore vivere
Vivere come se mai dovessimo morire perché, perché, perché
Vivere per poi capire all'improvviso la vita non è vita
Che in fondo questa vita tu non l'hai vissuta mai perché non l'hai vissuta mai

Ti dico no ti dico sì
Ti dico che ti dico che
Ho voglia di vivere

Voglio restare cosi'

Voglio restare così
Magari fino in fondo
Il mondo attorno ormai
Non mi interessa più
Mi basta averti qui
E stringerti così
....

Mi basta un gesto tuo,
Un sorriso,
Una parola
E un attimo così
Vale un'eternità
Accendi un fuoco e poi
Restiamo soli
Noi ....

Vivo per lei

(uomo):
Vivo per lei da quando, sai
La prima volta l'ho incontrata
Non mi ricordo come, ma
Mi è entrata dentro e c'è restata
Vivo per lei perché mi fa
Vibrare forte l'anima
Vivo per lei e non è un peso.
(donna):
Vivo per lei anch'io, lo sai
E tu non esserne geloso
Lei è di tutti quelli che
Hanno un bisogno sempre acceso
Come uno stereo in camera
Di chi è da solo e adesso sa
Che è anche per lui, per questo
Io vivo per lei.
É una musa che ci invita
A sfiorarla con le dita
Attraverso un pianoforte la morte
È lontana, io vivo per lei.
Vivo per lei che spesso sa
Essere dolce e sensuale
A volte picchia in testa ma

(a due): è un pugno che non fa mai male.
Vivo per lei, lo so, mi fa
Girare di città in città
Soffrire un po' ma almeno io vivo.
É un dolore quando parte
Vivo per lei dentro agli hotels
Con piacere estremo cresce
Vivo per lei nel vortice
(a due): attraverso la mia voce
Si espande e amore produce
Vivo per lei, nient'altro ho
E quanti altri incontrerò
Che come me hanno scritto in viso
Io vivo per lei.
(a due): Io vivo per lei.
Sopra un palco o contro a un muro
Vivo per lei al limite
Anche in un domani duro
Vivo per lei al margine
(a due): ogni giorno una conquista,
La protagonista sarà sempre lei.
Vivo per lei perché oramai
Io non ho altra via d'uscita
Perché la musica, lo sai,
Davvero non l'ho mai tradita
Vivo per lei perché mi dà
Pause e note in libertà
Ci fosse un'altra la vivo
La vivo per lei.
Vivo per lei la musica
Io vivo per lei.
Vivo per lei, è unica
Io vivo per lei.
(a due): io vivo per lei.
Io vivo
Per lei.

MACCHINE DA GUERRA

Testo e Musica di Andrea Smith

Se fos-se u-na co-sa sem-pli-ce io te la di-rei
A pie-di nu-di cam-mi-nia-mo sui ve-tri rot-ti e poi
Non c'è più tem-po per guar-da-re u-na stel-la so-pra noi

ma c'è u-na con-fu-sio-ne den-tro e qui at-tor-no a me
con ma-ni spor-che ci toc-chia-mo ci fe-ria-mo tra di noi
è tut-to pre-pa-ga-to, stam-pa-to e ac-cre-di-ta-to a noi

tu pre-fe-ri-sci e-vi-ta-re e for-se la col-pa non è tua
tut-ti i se-gna-li so-no gua-sti pal-li-di spen-ti nel bu-io
ma co-me fai a non ac-cor-ger-ti fre-gar-te-ne, an-da-re via

po-trei ten-ta-re u-n'al-tra vol-ta ma non so-no io che de-vi sen-ti-re.
po-trei ten-ta-re u-n'al-tra vol-ta ma non so-no io che de-vi sen-ti-re.
con pas-si fal-si di fe-li-ci-tà ma il

so-no io che de-vi sen-ti-re?
san-gue è an-che tuo.

21

Andrea Bocelli & John Miles

MISERERE

Testo di Zucchero, Bono - Musica di Zucchero

RAPSODIA

Testo e Musica di Malise

ROMANZA

Testo e Musica di Mauro Malavasi

Andrea Bocelli & Gerardina Trovato

VIVERE

Testo di Gerardina Trovato - Musica di Angelo Anastasio, Celso Valli

Andrea Bocelli & Giorgia
VIVO PER LEI

Testo di G.Panceri - Musica di Valerio Zelli, Mauro Mengali

VOGLIO RESTARE COSI'

Testo e Musica di Andrea Bocelli

AIUTATECI A MIGLIORARE!

Grazie per aver acquistato uno spartito Carisch.
La preghiamo di compilare questa scheda in stampatello ed in ogni sua parte, ed inviarla a
NUOVA CARISCH S.r.l. Via Campania, 12 - 20098 S. Giuliano Milanese (MI)
(Zona industriale Sesto Ulteriano)
Tel. (02) 98221.212 - Fax (02) 98221.220

A) QUANTI SPARTITI ACQUISTA ALL'ANNO?

☐ DA 1 A 3   ☐ DA 3 A 5   ☐ OLTRE 5

- di quale genere musicale? _____

- Le piace l'impostazione dei nostri spartiti? Perché? _____

_____

B) CI SONO ALTRI BRANI CHE VORREBBE VEDER STAMPATI
NELLE PUBBLICAZIONI CARISCH E QUALI? _____

_____

_____

C) SUONA UNO STRUMENTO?   NO ☐ SÌ ☐

SE SÌ QUALE? _____

D) CONOSCE E USA LA TABLATURA PER CHITARRA?   NO ☐ SÌ ☐

E) CONOSCE E UTILIZZA I MIDI-FILES?   NO ☐ SÌ ☐

F) ALTRI SUGGERIMENTI? _____

_____

_____

_____

Prima di compilare leggere attentamente le avvertenze a tergo

ML 1511 u

NOME _____ COGNOME _____

INDIRIZZO _____ tel. _____ / _____

CAP _____ CITTÀ _____

ETÀ _____ PROFESSIONE _____

CLAUSOLA INFORMATIVA AI SENSI DELL'ART. 10 LEGGE 675/96

Ai sensi dell'art. 10 della Legge 675 del 31 dicembre 1996 ("Tutela delle persone e di altri soggetti rispetto al trattamento dei dati personali"), La informiamo che l'indicazione dei Suoi dati personali sul presente questionario è facoltativa, e che i dati personali da Lei comunicatici potranno essere sottoposti a qualsiasi trattamento, intendendosi con ciò, ai sensi dell'art. 1 della predetta legge, qualunque operazione o complesso di operazioni concernenti, tra l'altro, la raccolta, la registrazione, l'elaborazione, la cancellazione, la distruzione di dati.

I Suoi dati personali verranno utilizzati per le seguenti finalità:
COMMERCIALI, PROMOZIONALI E MARKETING

Il Titolare del trattamento dei Suoi dati personali è la Nuova Carisch s.r.l., nella persona del legale rappresentante.

I Suoi dati personali potranno venire comunicati anche a società consociate della Nuova Carisch s.r.l. con le stesse finalità e modalità sopra indicate.

In relazione al trattamento come sopra descritto, La informiamo inoltre che Lei, in conformità al disposto dell'art. 13 della suddetta legge, ha diritto - salvo un contributo spese a Suo carico ove fosse confermata l'inesistenza dei Suoi dati presso di noi - di conoscere, mediante accesso gratuito al registro di cui all'art. 31, comma 1, lett. a), l'esistenza di trattamenti di dati che possono riguardarLa; di essere informato dal Garante sui dati che La riguardano; di ottenere la conferma dell'esistenza o meno di dati personali che La riguardano, la cancellazione, la trasformazione in forma anonima o il blocco dei dati trattati in violazione di legge, l'aggiornamento e la rettificazione dei dati; di opporsi, in tutto o in parte, per motivi legittimi, al trattamento dei dati personali che La riguardano ancorché pertinenti allo scopo della raccolta; di opporsi, senza alcuna spesa, in tutto o in parte, al trattamento di dati personali che La riguardano, previsto a fini di informazione commerciale o di invio di materiale pubblicitario o di vendita diretta ovvero per il compimento di ricerche di mercato o di comunicazione commerciale interattiva.

CONSENSO

In relazione alle informazioni di cui sopra, da Voi rese ai sensi dell'art. 10 della Legge 675 del 31 dicembre 1996, esprimo il consenso di cui all'art. 11 di detta legge al trattamento da parte Vostra - o da parte del Responsabile sopra indicato (qualora il responsabile sia un soggetto diverso dalla Nuova Carisch s.r.l.) - dei dati personali che mi riguardano, nei modi e per le finalità sopra indicate.

----

firma dell'interessato